НЕ ХОЧУ БЫТЬ ТОЛСТОЙ В 75 ЛЕТ

....и за 9 дней сбросила 15 фунтов,
около 8 килограмм

(мой личный опыт)

АНГЕЛИНА ЛИТВИНОВА   ВРАЧ, КМН

НЕ ХОЧУ БЫТЬ ТОЛСТОЙ В 75 ЛЕТ
by Ангелина Литвинова

Signalman Publishing
www.signalmanpublishing.com
email: info@signalmanpublishing.com
Kissimmee, Florida

НАПЕЧАТАНО В США
PRINTED IN THE UNITED STATES OF AMERICA

ISBN: 978-1-940145-45-7 (paperback)

Signalman Publishing

В этой книге я хочу поделиться своим личным опытом борьбы с лишним весом и переходом к рациональному питанию.

В прошлом я врач, кандидат медицинских наук (в России). В США получила диплом специалиста по натуральной медицине. Написала книгу, через 5 лет в 2010 году опубликовалаеё. В этой книге «Природа – мудрая целительница», описала состав и действие на организм ряда овощей, фруктов и других пищевых продуктов.

Я не имела проблем с моим весом почти до 50 лет, но последние 20 лет неуклонно набирала по фунту в год до 165 фунтов при росте 164 см. (5,3 фит). И мне пришлось задуматься над снижением веса, так как стали болеть ноги при ходьбе, появилась усталость при средней физической нагрузке.

Итак…, обдумывая ценность пищевых продуктов, я начала составлять программу снижения веса и последующего упорядочения питания.

Моя книга содержит мой опыт проведения 3х программ: 1- снижение веса, 2- переходный период к рациональному питанию после снижения веса и 3 - рациональное питание.

По моему представлению и врачебному опыту я продумала основные принципы этих программ:

1   Снизить калорийность пищи при программе «снижения веса» до 500 ккал., при программе «рационального питания» до 1000 − 1100 в день. Медицинская литература рекомендует такую калорийность пищи для офисных работников, 1500 ккал. для тех, кто имеет среднюю физическую нагрузку и 2000 и более при большой физической нагрузке.

2   Исключение соли и сладкого при программе «снижения веса» и значительное уменьшение их при рациональном питании до рекомендуемых норм.

3   В программе «снижения веса» важно питаться монопродуктом в течении нескольких дней. Я попыталась проделать это 1 день − не сработало. Больше 4х дней трудно вынести это. Пришла к заключению, что 3 дня питания одним продуктом оптимально и далее переходить на другой продукт.

 4   Какие продукты применять в программе снижения веса? РИС (белый) − Он менее калориен, чем другие (гречка, ячмень, и д.р.). Бурый рис более калориен и требуется меньшее количество в программе. Рис выводит шлаки и слизь, не возбуждает выделение желудочного секрета, не стимулирует аппетит, поэтому с него желательно начинать программу.

МЯСО ОТВАРНОЕ (жареное возбуждает аппетит) выполнит в этой программе функцию насыщении белком, которого не достаточно в двух других этапах этой программы.

ОВОЩИ – лучше отваренные на пару, тогда в них остаётся больше витаминов. Лучше использовать их в заключительном этапе программы «снижения веса», так как они наполнят микроэлементами и витаминами, кроме того очистят кишечник.

5   В проведении этой программы желательно использовать органические продукты.

6   Применять воду в течение этой и последующих программ в количестве из расчёта 30 мл. на 1 килограмм массы тела (14 унц. на 1 фунт веса). Очень важно не пить воду во время приёма пищи. Пить воду минимум за 30 минут до еды и через 30-40 после неё.

7   Количество калорий для этой программы 500, так как для людей с незначительной физической нагрузкой и 900 к.калорий можно принимать за норму, то снижение на 200-300 килокалорий на несколько дней не окажет вредного влияния и вместе с тем позволит снизить вес без побочных явлений.

ПРОГРАММА СНИЖЕНИЯ ВЕСА

Она состоит из 3 этапов в зависимости от применяемого продукта и каждый этап продолжается 3 дня.

1 ЭТАП - 3 дня РИС. Потребуется около 4 стаканов риса белого. Отвариваем 1,5 стакана риса на день. Распределяем это на 3 порции в день и принимаем воду не менее 30 грамм на 1 килограмм веса при 70 это 2,1 литра, при 80 – 2,4 литра. Можно добавлять в каждый выпиваемый стакан 1/3 ананасового сока. Рис не солить. Но при приёме добавить несколько капель соевого соуса -четверть чайной ложки (помните в соусе много соли не добавляйте больше). Утром сначала выпиваю стакан воды, затем пью холодный кофе (меньше раздражает желудок, чем горячий) с чёрным шоколадом, в порции которого не больше 30 к.калорий.

Кофе пью на протяжении всей программы только утром.

По окончании 3х дней программы мой утренний вес составил 161 фунт, т.е. снизился на 4 фунта. (измерять вес следует в одно и тоже время, желательно утром до приёма воды). Надо отметить, что появился небольшой дискомфорт в желудке и я в последний стакан воды добавила щепотку соды. Явления эти прошли. Вероятно, к вечеру организм обычно закисляется и повысилась кислотность желудка. Сода сняла эти явления. Состояние после 3 х дней хорошее, нет усталости, хороший сон.   Все дни занималась ходьбой 3000 - 4000 шагов на терренкуре в темпе средней степени, без усталости.

2 ЭТАП   3 дня КУРИНОЕ МЯСО. На все 3 дня использовала 6 куриных грудок (по 2 каждый день). Отвариваем 2 куриных грудки или куриного мяса в объёме 300-400грамм со специями, без соли. 8,5 стаканов воды (около2 литров) с 1/3стакана грейпфрутового сока выпиваю между употреблением куриного мяса. К мясу ½ чайной ложки соевого соуса.

Из ощущений могу отметить, что появлялась утром некоторая тяжесть в голове, и вечером жжение языка. После кофе утреннего и шоколада в голове прояснялось и жжение языка проходило после приема последней порции воды со щепоткой соды.   Нагрузка физческая та же , усталости не отмечалось, сон хороший.

В конце   второго этапа программы   вес 153,5 фунта. Снижение на 11, 5 фунтов.

3 ЭТАП   3 дня ОВОЩИ. Любой набор овощей приблизительно равных по калорийности (куку-руза и картофель 123 и 83 ккал. соответственно, остальные в пределах 25-30.) Пример, карто-фель и кукуруза   по 200 грамм будет   400 ккал. К ним добавить брокколи и белокочанную с тур-непсом или морковью по 200 грамм около 120 ккал. Также принимаю овощи в 3 приёма с 1/2 чайной ложки соевого   соуса. Воду пью чистую без добавок в том же объёме около 2 л. Можно

добавить салат из 1/2 помидоры и половины огурца, которые почти не прибавят калорий, но помогут очистить кишечник. Салат без соли.

В конце этого этапа вес 152 фунта. Снижение от первоначального 13 фунтов.

Ощущения: нет чувства голода, нет ни каких явлений в голове и желудке, нет усталости ни на терренкуре, ни при работе в саду и по дому. Сон хороший.

Но были явные перемены:
Еда в эти 9 дней не приносила мне удовольствия, т. к. привыкла к вкусной, жирной, сладкой. Я вынуждена была её длительнее пережёвывать и вспомнила изречение Гиппократа, что надо за время приёма пищи сделать 500 жеваний.

Таким образом, научимся правильно принимать пищу, поможем тем самым пищеварению и оздоровим желудок. И действительно, не стало диспептических явлений в желудке. У меня в анамнезе язвенная болезнь 12-перстной кишки, вылеченная, но весенне-осенние дуодениты посещают меня, в связи с тем, что, по мнению учёных, в эти сезоны наблюдаются проблемы с нашими капиллярами, общая протяженность которых сотни километров, а объём крови, в них циркулирующей, составляет 80% от всего объёма. Так велика их функция в организме. И в весеннее-осенние сезоны они работают хуже, тогда «у кого есть тонкое место — оно и рвётся», проявляясь неприятностями.

Кроме того, мой аппетит значительно снизился. Я уже не вдыхала с упоением аромат кафетериев, кофе, вкусной пищи. Это сейчас называют пищевой наркоманией, весьма вредной для здоровья. И, более того, не хотелось даже смотреть на кухонное волшебство рекламных программ.

Странно было для меня и то, что я научилась пить много воды, т.к. раньше только 2-3 стакана могла выпить простой воды и 4-5 чашек чая, обязательно с печеньем. Теперь я пью 8 стаканов воды без проблем. Совсем не хочется есть печенье и у меня в доме остались без востребования несколько килограммов их.

Надо отметить, что я продолжала принимать поливитамины и средство для лечения гипертензии артериальной. АД оставалось все дни в пределах нормы.

Я бы хотела отметить, что для людей , имеющих серьёзные проблемы с здоровьем, не надо проводить такие программы. Диабет в тяжёлой стадии, хроническая почечная недостаточность, недостаточность кровообращения, хронические болезни печени – это те состояния, при которых не следует проводить какие либо стрессовые мероприятия с организмом.

ПОСЛЕ ПРОГРАММЫ СНИЖЕНИЯ ВЕСА НАСТУПАЕТ НЕ МЕНЕЕ ОТВЕТСТВЕННЫЙ «ПЕРЕХОД К РАЦИОНАЛЬНОМУ ПИТАНИЮ».

ПЕРЕХОД К РАЦИОНАЛЬНОМУ ПИТАНИЮ

Основные принципы этой программы:

1 - Постепенный переход к необходимому и достаточному для каждого человека количеству калорий, белка, жира и углеводов. В первые 2 дня прибавляя по 200 калорий, затем прибавлять 300-400 в день, до необходимой для меня нормы, которая зависит от физической нагрузки и расчётной массы тела.

2 - Продолжить прием воды в количествах, необходимых для массы тела, с учётом снижения веса на первой программе. В дни употребления мяса пить с ананасовым соком, в дни увеличения жиров – «кашные»- с грейпфрутовым.

3 – Продолжать питаться основным продуктом дня с добавками, обеспечивающими прибавление калорий, белка , жира и углеводов. Один день основной (по количеству) продукт рыба, следующий каши, следующий овощи и следующий мясо за ним снова овощи и снова по кругу ...рыба...

4 - Не быстро увеличивать количество соли до предельных норм. Начав с добавления к пище 1 грамма соли (помните, что в чайной ложке 10 грамм соли мелкой, в одной чайной ложке соевого соуса 2,5 мг. соли). 3-4 грамма в день достаточно для людей, проживающих в средних широтах и несколько больше норма, для людей, проживающих в южных и при работах с усиленным потоотделением. Также помните, что некоторые лекарства способствуют накоплению натрия и при этом не следует употреблять много соли. Осведомитесь у доктора или в интернете о своих лекарствах.

Пример для 1 дня   программы перехода:
РЫБА ОСНОВНОЙ ПРОДУКТ.

Набор продуктов	количество грамм	
Рыба не жирных сортов	500 гр.	
Йогурт	100 гр.	
шоколад	10 гр.	
яблоки	100 гр.	или
ягоды	100 гр	
хлеб ржаной	2 куска.	

Всё это составит около 800 к.калорий, 160 грамм белка, 50 грамм   жира и 140 грамм углеводов. Некоторая белковая нагрузка нивелируется в течении 4 х дней последующих. Воду пить как обычно до 8 стаканов, но не во время приёма пищи.

Пример 2 дня для программы перехода:
КАША   ОСНОВНОЙ ПРОДУКТ.

Набор продуктов	количество грамм
Рис белый	½ стакана сырого
масло сливочное	2 чайные ложки (10 гр.)
шоколад	10 гр.
орехи с сухофруктами	30 гр. или
кедовые орехи	20 гр.

Всё это составит около 800 к.калорий. 54 гр. белка,30 гр. жира, 330гр. углеводов. Можно в этот день увеличить калорийность пищи на 200 к.калорий. Например, используя СЫР- 100 грамм,   который также увеличит количество белка на 5 грамм.

Пример 3 го дня переходного периода:
ОВОЩИ ОСНОВНОЙ ПРОДУКТ.

Набор продуктов	количество грамм
любые овощи (смесь)отварные	600 гр.
растительного масла	2 столовые ложки
яблоки	100 гр.
яйцо куриное	1
маслины	80 гр.

Всё это составит 800 ккаллорий.28 гр. белка,51 гр. жира,   углеводов около 200 гр. Можно и этот день провести с калорийностью 800 если нет физической нагрузки, если есть физическая нагрузка средней тяжести можно добавить ещё 200 к.калорий. Для этого к данным продуктам добавить : салат из ПОМИДОР и ОГУРЦОВ с зеленью, с 1 столовой ложкой растительного

МАСЛА, и 2 куска чёрного (или 1 белого) ХЛЕБА, Тогда калорийность составит 1000 к.калорий, белка 30 гр., жира 60 гр., около 300 гр. углеводов.

Пример 4 дня перехода
МЯСО ОСНОВНОЙ ПРОДУКТ.

Набор продуктов	количество грамм
куриная грудка	2 шт. (200 гр.) или
куриные окорочка	200 гр или
индейки окорочка	150 гр.
творог 2%	100 гр.
сметана	1 столовая ложка
помидор и огурец	по 1 каждого
масло растительное	2 столовые ложки

Всё это составит 1000 к.калорий, для офисных работников это дос-таточно.   Для тех , работа которых требует   физической нагрузки средней тяжести, добавить ещё 500 к.калорий можно за счет следующих продуктов:

йогурт	100гр.
картофель	200 гр.
морковь	100 гр.

Добавочные продукты можно заменять любыми равноценными по калорийности продуктами.
(см. таблицу в конце книги)

Мой вес после 2х программ (13 дней) снизился на 16 фунтов (около 8 килограмм) и составил 149 фунтов.   При росте 164 кг. ,по представлениям времени моего обучения в мед институте, мой вес   должен быть 164 см. -100 + 64 +3-4

кг. возрастного увеличения , итого 68 кило-граммов или 149 фунтов, т.е. около нормы.
При этом мои ощущения были следующие :
1 Я привыкла к небольшому объёму пищи.

2 Потребление пищи в 4-5 приёмов погасило чувство постоянного голода, но и приём воды также уменьшает это чувство.

3 Раньше я пила 3-4 раза в день чай с печеньем, теперь мне не хочется, так как нет жажды.

4 Несколько снизилось артериальное давле-ние на фоне приема гипотензивных препаратов (раньше не снижалось ниже 140/80).

5 Нет потребности солить пищу и совсем не хочется сладкого. В доме лежат не востребованными печенья разные. 20 грамм шоколада утром с кофе вполне удовлетворяют мои потребности в сладком.

6 Изменилась моя фигура, исчез ненавистный живот, стало легче ходить и не болят ноги при ходьбе. Интересно для женщин совсем не прибавилось морщин, напротив люди говорят, что помолодела... Не главное, но существенное.

РАЦИОНАЛЬНОЕ ПИТАНИЕ

Какая цель рационального питания: удерживать вес в пределах физиологической нормы при достаточном (в пределах расчётных норм) количестве белка, жира и углеводов, в также дробное питание (3-5 приёмов пищи) с обязательным приёмов воды и поливитаминов.

ВИТАМИНЫ - о их пользе каждый отлично знает, но у пожилых часто снижено количество витамина В12, и его следует принимать дополнительно. Кроме того не редко лекарства, которые мы принимаем снижают, или накапливают некоторые МИНЕРАЛЫ. Необходимо сделать тесты на их содержание и добавлять или избегать продукты, которые их содержат.

КАЛЛОРИЙНОСТЬ ПИЩИ какая должна быть?

Если исходить из норм потребления белка, жира и углеводов для людей с НИЗКОЙ ФИЗИЧЕСКОЙ НАГРУЗКОЙ (офисные работники и пожилые, но активные) с калорийность пищи должна быть:

При росте 150 см.и при массе тела 50 килограмм-110 фунтов (нор-мальный вес) потребность в калориях составит 750 килокаллорий в день.

При росте 160 см. и при массе 60 килограмм-132 фунта - 900 ккал-лорий.

При росте 170 см. и массе 70 килограммах-154фунта - 1050ккал.

При росте 180 см. и массе 80кг. -176 фунтов – это 1480 ккал.

Для людей с СРЕДНЕЙ ФИЗИЧЕСКОЙ НАГРУЗКОЙ:

При расчётной массе тела 50 кг. потребность в калориях составит 1160 килокалорий в день.
При массе 60 килограмм - 1392 килокалории в день. При массе 70 килограмм -1624 килокалории в день.
При 80 килограммах – 1866 килокалорий в день.

Как мы расходуем калории принятые с пищей? Большая часть (60-70%) расходуется на обеспечение обмена   веществ в организме (дыхание, клеточные процессы, переваривание пищи и.тд.) Более всего приходится на обеспечение работы печени -30%. На почки -7%, мышечной ткани в покое -18% , головного мозга 20%.-- из калорий, обеспечивающих обмен веществ в организме.

Другие затраты (около 30%) на движения, работу. Если человек не движется всё идёт в депо - жировую ткань. У мужчин затраты на обмен веществ выше на 19%, чем у женщин, поэтому при одинаковом питании жёны полнеют часто больше, чем мужья.

Каждые 10 лет обмен веществ после 40 летнего возраста снижается на 3-4% и за 20 лет снизится на 6-8%. Значит при потреблении пищи в объёме и калорийности равной той, что принимали в молодости не годится или другие затраты должны быть увеличены, например увеличение физической нагрузки, что обычно не позволяет здоровье. Но лучше уменьшать калорийность за счёт снижения жира и углеводов. Так как чем больше жировой ткани, тем ниже основной обмен и снова больше требуется дополнительных затрат. Для себя, исходя из этого, я определила 1000 -1200 к.кало-рий в день.

«Дополнительные затраты» калорий можно просчитывать, зная сколько их тратится на разные упражнения и работу. Например:

вид работ и упражнений в час затраты к.калорий

Умственная работа	**12-13**
Сон	50
Спокойная ходьба	160-200
Плавание	180-400
Велосипед	250-500
Бег на месте	350
Танцы	500
Принять душ 15 минут	50
Одеться	
Вытирание пыли дома	300
Пылесосить ковровое покрытие	400
Мытьё посуды в ручную	50
Глажение	70
Лёгкие садовые работы	200-300

В   экспериментах показано, что снижение калорийности пищи на 20% продляет жизнь животных.

До 60x годов прошлого столетия норы потребления белка были в 3 раза меньше тех, что приняты сейчас и составляли 0,3 грамма на 1 килограмм веса и при нормальном питании никто не умирал с голоду , и не страдал от ожирения, как видно из документальных фильмов того времени..

Исходя из этих расчетов прошлого времени при 50 килограммах веса нормальным количеством необходимых калорий могло быть около 400 ккал., при 60 кг.- 600, при 70- 800 ккал. Таким образом, если ваш вес начинает расти при условиях потребления в пределах вашей нормы калорийности, можно снизить на несколько дней калорийность пищи до 800 ккал. в день без всякой угрозы для организма. Только надо считать калории в продуктах, используемых вами в течении дня.

Распределение калорийности пищи в течение дня должно быть следующим: при завтраке 20%, 2ой завтрак 15%, обед 35%, ужин 30%. Последний приём пищи желательно не позднее 3 часов до сна.

СОЛЬ важный компонент для нашего организма и при его недостатке или полном отказе могут возникнуть проблемы с почками. Считается, что недостаток соли может привести к «закислению» организма, нарушению процессов пищеварения. В кислой среде создаются условия для размножения простейших. Также при закислении снижается выработка АТФэнергетический компонент обмена- появляется слабость. Снижается также функция гормона ответственного за сон (СТГ) и возникает бессонница.

Однако, чаще встречается избыточное потребление соли, что не менее вредно для организма. При этом может проявиться «защелачивание»,не менее вредное. Например, в щелочной среде гемоглобин удерживает кислород в эритроцитах и не отдаёт его тка-ням, возникает кислородное голодание. к которому особенно чув-ствительно наше сердце. Так же это приводит к отёкам увеличению веса уже с его вредными последствиями.

В медицинской литературе дискутируется вопрос о нормах потребления соли и есть мнение, что и 200 миллиграммов достаточно для организма (столько соли в 1 куске хлеба, кусок пиццы содер-жит 700 миллиграммов, гамбургер 900). Американская медицинская ассоциация рекомендует 2,3 грамма в день для людей, проживающих в умеренных широтах, около 6 грамм – в южных широтах и для тех, кто работает в горячих производствах. В Финлян-дии около 40 лет проводится программа снижения потребления соли до 3 грамм в день - количество инфарктов и ряда злокачест-венных заболеваний значительно снизилось. (до 45%)

Основное неблагоприятное воздействие на организм оказывает входящий в состав соли натрий, он задерживает воду и увеличивает массу тела. Надо помнить, что натрий включает сода и ряд других пищевых веществ и так же способствуют увеличению веса.

Содержание соли (по натрию) в 100гр. продукта в миллиграммах:

Хлеб ржаной — 400, пшеничный 200. Овсяные хлопья 600. Рис 2000. Капуста 800. Фасоль 400. Свекла300 .Сельдерей 120.Картофель 30. Яблоки 8. Банан50. Груша3. Ананас, лимон, грейпфрут 1.

В готовых продуктах не редко много соли, например, гамбургер содержит 700 и более миллиграммов, 1 кусок чёрного хлеба -200 мг. Напомню, что в чайной ложке содержится 10 грамм мелкой соли, а в столовой 30 грамм.

ВОДА   В норме в составе нашего организма содержится   в количестве от 70 — 90%   в зависимости от возраста.   Воды,   которая выносит отработанные вещества из организма, требуется около 2 литров и должна быть возмещена организму, для того чтобы   про-исходил нормальный обмен.   На каждый фунт веса человека   требуется 14,5 мл воды (30 мл. на 1 килограмм).

9 причин почему надо пить 2-3 литра воды

1 При недостаточном количестве потребляемой воды организм, защищаясь от возможного обезвоживания, начинает сохранять воду и появляется лишний вес.

2   При малом количестве потребляемой воды снижается выделение почками с задержкой выделения продуктов отработки метаболизма, эту функцию берёт на себя печень, от чего страдают её основные функции, в том числе расщепление жира и как результат ожирение.

3   При недостатке воды не вымывается соль (натрий), что ведёт к задержке воды в организме и увеличению веса.

4   Отмечено, что с снижением количества потребляемой воды мозговые центры, ответственные за желание пить, снижают свою функцию. Чем меньше пьём, тем меньше хочется пить.

5   У пожилых людей часто склерозируются центры, управляющие потребностью в воде и люди не хотят пить, это приводит к дегидратции и снижению многих функций организма.

6   Статистика показывает, что приём необходимого количества воды снижает риск рака толстого кишечника на 70% и рака мочевого пузыря на 50%.

7   Недостаток воды также снижает функции мозга. Как например, короткую память и другие.

8   При защелачивании организма, как например в утренние часы, гемоглобин крови перестаёт отдавать кислород тканям, удерживая его в крови. Поэтому в первой половине дня желателен приём минералов, кислых продуктов и мак-

симальное количество воды. К концу дня обычно организм «закисляется» и поэтому последнюю порцию дневной нормы воды лучше пить с содой.

9   Вода главный поставщик водорода. Его содержание в организме должно быть не менее 10% для индукции синтеза энергетического материала (АТФ). Водород также стимулирует собственную систему обезвреживания вредных радикалов (система анти-оксидантов). Радикалы нарушают структуру клеточных оболочек и разрушают клетки. Также они снижают количество АТФ, снижают образование белков, приводят к накоплению вредных веществ (молочной кислоты) и закислению (ацидозу), вредному для функции многих органов. Таким образом, вода главный антиоксидант.

Сколько раз в день следует принимать пищу. Если рассматривать это с точки зрения специфического - динамического действия пищи (ССД), то дробное питание усиливает обмен веществ, а значит как бы снижает калорийность пищи и желательно для поддержания нормального веса тела. ССД особенно активно при приёме белковой пищи (до 40% усиливается обмен веществ. Жир пищи иногда даже тормозит обмен). Выражается это в том, что при каждом приёме пищи происходит рефлекторное повышение кислородного потребления, уровня гормонов и лейкоцитов(вне зависимости от объёма пищи), что берёт на себя значительные энергозатраты калории. Даже при «ложном» кормлении (без пищи), как показано в экспериментах, имеет место ССД (Уголев Д. 1978).

Поэтому   прием пищи , в пределах общего её дневного объёма, следует делить на 4-5 приёмов, если вы хотите похудеть или поддерживать нормальный вес.

Сколько нужно потреблять БЕЛКА ежедневно?
Тоже дискутабельный вопрос. Нормы его потребления впервые разработаны 100 лет назад и составляли тогда 0,3 грамма на 1 килограмм веса человека.

Сейчас это 1,0-1,3 грамма на 1 кг. веса. Недостаточное количество белка приводит к болезни почек (Walster), нарушению многих функций (гемоглобина, гормонов, ферментов, печёночных структур и т.д.).   Вместе с тем, избыток белка или использование монобелковой диеты, так же приводит к склерозированию капилляров,   замедлению   их   роста,   как показалиучёные   Гарвардского   университета. Белок человека формируется из 22 аминокислот, 8 из которых не образуются в организме и должны поступать извне. Растительные белки не содержат некоторые из этих, названных « не заменимы-ми» их 8 аминокислот. Например, растительная пища не содержит аминокислоты пролина, а это важный компонент в струк-туре   кожи. (содержится в мясе и желатине). Животного белка в пище должно быть около 70%   из   всего   белкового   её   содержания.

Не рекомендуется снижать количество белка в питании пожилых и нижняя граница нормы 0,8 – 1 грамм на 1 килограмм (расчет-ного веса) будет вполне оправданной для них. Красное мясо (говядина, баранина, свинина) при расщеплении в кишечнике даёт токсический для поджелудочной железы N-nitro-lizin. Также содержит много пуринов, вызывая подагриче-ские артриты. Количество его в питании следует ограничить.

УГЛЕВОДЫ это клеточное топливо и используются также для   строительства клеточных структур. Входят в состав ядерных структур, в РНК и ДНК. Они составляют 2% от массы тела. Углеволы бывают простыми (сахар) и сложными - из нескольких моносахаров (например свекла содержит 4 моносазара). Сложные углеводы (крупы, овощи, злаки) медленнее перевариваются и требуют для этого больше калорий, т.е. меньше остаётся в виде отложений.Их должно быть не менее 85% из всех потребляемых угле-водов, а моносахаров только 15%.

Моносахара (сахар) при избыточном количестве приводят к многим проблемам и не только увеличению веса. 1 чайная ложка сахара снижает функцию иммуноклеток (моноцитов) на 6 часов. Сахар снижает количества селения,   важного компонента в защите от рака. Вреден сахар для почек и сосудов. ВОЗ рекомендует не более 50 грамм сахров в сутки В продуктах, которые мы потребляем, следующее содержание сахара:

ананас ¼ куска 4,2 гр.   банан 4,5   грейпфрут 2,8гр.
виноград 20 шт. 5 гр.   дыня ¼ 3 гр.   клубника 1,5гр.
кукуруза початок 5 гр.   кока-кола 40 гр.   морковь
                                                    3-4 гр.

ЖИРЫ в питании должны быть преимущественно животными , но и растительные жиры должны присутствовать. Рекомендуется их соотношение в питании 30% растительных и 70% животных. Растительные жиры(и жир рыб) ценны тем, что содержат ненасыщенные (водородом) жиры, которые являются источником формирования высокоплотного (« хорошего») холестерина.

Хороший холестерин представляет   из себя холестериновую молекулу плотно обложенную вокруг фосфолипидами и называются липидами высокой плотности ЛВП. Они забирают из бляшек холестерин и несут его в печень для дальнейшей работы . В отличии от липида высокой плотности, низкоплотные ЛНП   отдают холестерин в бляшку , за что названы «плохими».

Интересно что яйцо, попавшее в немилость, теперь реабилитировано, потому что в нём много этих нужных фосфолипидов, а плохого холестерина в них всего 2%. Это кроме того, что оно содержит полноценный, легко усвояемый белок. Учёные Гарвардского университета рекомендуют норму потребления яиц 7 в не-делю. 2 яйца покрывают суточную потребность холестерина. В организме холестерин присутствует большом количестве и добавлять его нужно около 2,5 граммов в сутки.

Надо помнить, что организм вырабатывает сам холестерин и чем больше масса тела, тем больше его вырабатывается, в том числе и «плохого». Сейчас больше говорят не о количестве холестерина, а о его качестве. В частности о присутствии аполипопротеина А, о наличии в хорошем холестерине структур жира малокалиберных, которых у долгожителей оказалось больше, чем у других людей. Но это пока дискуссии.

И так наша пища должна содержать нормальное количество белка, жира и углеводов в соотношении 1:1:3 (4), для обеспечения нормальной функции организма.

Я хочу привести пример набора продуктов и сбалансированности по содержанию белка, жира и углеводов, при разном количестве калорий, необходимых в зависимости от образа жизни, физической нагрузки (в пределах 1000 −2000 ккал.)

Я, как правило, придерживаюсь 1200 ккал в день, с учётом моего возраста и нагрузки (несколько ниже средней). Всё так же провожу деление по дням с преимущественным применением какого либо продукта — мясо, крупа, рыба, овощи. Использую их в пределах 300-500 грамм готового продукта в день. И дальше, в зависимости от потребности (с увеличением или уменьшением нагруз-ки) могу прибавлять или уменьшать набор «дополнительных» продуктоа. Эти продукты можно варьировать, заменяя на равноценные по калорийности, содержанию белков, жиров, углеводов.

Основной продукт дня   ОВОЩИ

Калорий необхо- димо:	продукт	коли- чество продукта	кало- рий ность	содержание белка	жира	углеводов

1000

	овощи	400гр.	180	9-11	0	30 - 40
	яйцо	2шт.	300	24	20	0
	салат	200гр	50	1-2	0	40
	(помидор,	1шт.				
	огурец,	1шт.				
	яблоко)	50гр.				
	растит.масло	1 ст.лож.	80	0	20	0
	хлеб	100 гр.	300	0	1,2	72
	маслины	100 гр.	160	2	10	5
	шоколад	20 гр.	80	2	0	12
	ИТОГО		1070	41	52	169

животного белка   24гр – 52%

растительного жира   30гр – 60%

соотношения   1 :   0,8:   4

Для **1500**   к продуктам перечисленным для 1000 к.кал. добавляем:

сыр	100гр.	200	15	20	0
авокадо	100гр.	200	2	20	7

ИТОГО	1470	57	92	176

животного белка   39гр – 68%

растительного жира   50 гр – 53%

соотношения   1:   1,6:   3

Для **2000**   к продуктам перечисленным для 1000 и 1500

к.калорий   добавляем:

грецкие орехи	1/4 чашки	220	5	20	4
сухофрукты	1/2 чашки	260	0	0	68

ИТОГО	2040	62	112	248

животного белка   39 гр – 61%

растительного жира   70гр – 68%

соотношения   1:   1,4:   4

Таким образом, соблюдается правильное соотношение белка, жира и углеводов. Также преобладает животный белок и растительный жир, что необходимо при рациональном питании. Продукты (кроме основного) можно изменять на другие, но с равноценным по содержанию белков, жиров и углеводов.   Например, я употребляю отварных овощей в пределах 300 калорий и 400 калорий за счёт сырых овощей, используя салаты из 7 овощей – кукуруза, оливки, авокадо, помидор, огурцы, яблоко, листовой салат.

Основной продукт следующего дня МЯСО. 1000ккалорий

Мясо куры	300 гр	350	66	30	0
творог	100 гр	100	18	2	4
сметана	1 ст/лож	70	5	8	0,5
шоколад	20 гр	80	1	0,5	2
хлеб	100 гр	300	6	1,2	70
картофель	200гр	150	2	0	35
яблоки	200 гр	100	0,8	0,8	84
ИТОГО		1150	99	42,5	195
	животного белка		89 гр – 90%		
	растительного жира		2гр – 12%		
	соотношения	1:	0,6:	2	

для **1500** к.калорий

добавляем к продуктам для 1000 к.калорий следующие:

овсян. хлопья	2/3 чашки	230	8	4	41
зел.горошек	150 гр.	120	9	0	14
ИТОГО		1500	116	46,5	250

животного белка	89гр – 71%	
растительного жира	6гр – 4%	
соотношения	1:	0,2: 2,1

для **2000** к.калорий

добавляем к продуктам 1000 и 1500 к.калорий следующие:

хлеб	100 гр.	300	6	1,2	35
маслины	150 гр.	250	3	15	7
ИТОГО		2050	125	37,7	292

животного белка	89гр – 77%
растительного жира	22,2 гр – 83%
соотношения	1: 0,3

Таким образом, в этот день получаем некоторую белковую нагрузку, но в последующие дни цикла из 4-х основных продуктов нивелируются соотношения.

За днем с основным продуктом – мясо - **повто-
ряем ОВОЩНОЙ день.**

После повторного овощного дня основной
продукт РЫБА .

для 1000 к.калорий

рыба	400гр.	360	80	20	10
хлеб	100 гр.	300	6	1,2	70
шоколад	20гр.	80	2	1	24
йогурт 2%	100гр	50	4	2	4
яблоки	100гр	50	0	0	84

клубнику и землянику   по 20 грамм в йогурт
салат   (помидор, огурец, маслины 50 гр. и рас-
тительное масло 1 ст.ложки) 280   2   25   13

ИТОГО		1120	94	49,2	305
	животного белка	84 гр – 89%		
	растительного жира		25 гр.- 51%	
	соотношения	1:	0,5:	3,1

для **1500** к.калорий

к продуктам для 1000 к.калорий добавляем
следующие:

яйцо	2 шт.	300	24	20	0

хлеб	50 гр.	150	3	0,6	35
ИТОГО		1570	121	64,8	340

животного белка   108гр.- 86%

растительного жира   21гр.- 30%

соотношения   1:   0,5:   2,8

для 2000 к.калорий

к продуктам для 1000 и 1500ккалорий добавить следующие:

сыр моцарелла	100 гр.	24	18	24	0
картофель	200гр.	160	4	0,8	32
ИТОГО		1970	143	89,6	372

животного белка   126гр.-89%

растительного жира   21,8-38%

соотношения   1:   0,6:   2,7

Основной продукт следующего дня   КРУПЫ.
Для**1000**к.калорий   используются следующие продукты:

рис (белый)	2/3 чашки	350	6	1,5	72
масло сливоч.	20гр.	150	0,3	18	0,2
груши	100гр.	45	0,4	0,3	10
шоколад	30 гр.	120	3	3	24
творог 2%	100гр.	101	18	1,8	1

сметана	1 ст.лож.	70	0	8	0,5
овсянка	1 чашка	200	20	4	120
ИТОГО		1036	48	38,6	227

    животного белка   18гр.-36%

    растительного жира   13гр-9%

    соотношения   1: 1: 4,6

Для **1500**к.калорий к продуктам для 1000 к.калорий добавляем следующие:

авокадо	100гр.	200	2	20	7
сыр	100гр.	250	18	24	0
ИТОГО		1486	68	83	234

    животного белка   36гр.-53%

    растительного жира   23гр-29%

    соотношения   1:   1,5:   4

Можно авокадо заменить орехами - кедровых 30 грамм или арахис 50 грамм или грецкий 30 грамм.

Для **2000** к.калорий   к продуктам для 100 и 1500 к.калорий добавляем следующие:

| яйцо | 2 шт. | 300 | 24 | 26 | 0 |
| орехи грецк. | 100гр. | 320 | 7 | 33 | 4 |

ИТОГО	2106	100	152	238

животного белка   62гр.- 62%

растительного жира   56гр.-39%

соотношения   1:   1,7:   2,3

Основной продукт следующего дня ОВОЩИ и далее – МЯСО- ОВОЩИ РЫБА -КРУПЫ- ОВОЩИ…….. Таким образом до мясного дня и после идут овощи.

В течение цикла из 4-х дней мы получаем следующие результаты: При **1000-1200** к.калорий

среднее количество в день: и массе тела 60-64кг.

белка 70гр. животного 75%

жира 50гр. растительного 37%

соотношения белка, жира и углеводов
1:     0,8: 3

При **1500** к.калорий

среднее количество в день: и массе тела 78-85 кг.

белка 90гр, животного 75%

жира 76 гр.,растительного33%

соотношения 1:   0,8:   3

При 2000 к.калорий

среднее количество в день: и массе тела 100кг.

белка103 гр,животного 78%

жира 92 гр.,растительного 43%

соотношения   1:   0,9:   3

Таким образом соблюдаются требования норм питания, принятых в настоящее время.

Продукты можно заменять, но с учетом их равноценности с заменяемыми продуктами по калорийности и содержанию белка, жира и углеводов.

Такое питание позволяет удерживать нормальный вес. Если увеличиваются или уменьшаются затраты калорий, то можно переходить из одной группы по калорийности в другую,а при восстановлении нормального веса придерживаться набора продуктов своей весовой группы: 1200 к.калорий и средней физической нагрузке и при весе 60-64кг. 1500к.калорий при весе 78-85 кг. и средней физической нагрузке или при весе 60 кг. но большей физической нагрузке. 2000 к.калорий при весе около 100 кг. и средней физической нагрузке или при весе 78-85 кг. и большей физической нагрузке.

Всё это теоретические расчёты. Но если вес тела уменьшается или увеличивается, следует переходить в группу большего количества калорий при снижении его ниже нормы или в группу меньшего количества калорий, если вес стабильно меняется в течение пары недель. Для этого надо пользоваться таблицами показателей калорийности продуктов и содержания белка, жира и углеводов в них.

Таблица калорийности и содержания инградиентов в 100 граммах некоторых, наиболее употребляемых продуктов:

Продукт	калорий в 100гр. (килокалорий)	содержание в граммах		
		белка	жира	углеводов
авокадо	208	2	20	7
апельсин	36	0,9	0	9
арбуз	37	0,6	0,1	5,8
гранат	52	0,9	0	13,9
груша	42	0,4	0,6	6,3
дыня	33	0,6	0,3	7,4
киви	48	1	0,6	10,3
лимон	16	0,9	0,1	3
манго	67	0,5	0,3	11
мандарины	33	0,8	0,2	7,5
папайя	48	0,6	0,1	9
яблоки	47	0,4	0,4	98
клубника	18	0,7	0,4	6,3
черника	45	0,8	0,6	12
Сыр фета	280	17	14	3
моцарелла	240	18	24	0
рикотта	174	11	13	3
яйцо курин.	160	12	10	0,7
белок яйца	44	11	0	0
желток 1	116	1	10	0,7
гречка	132	5	2	25

рис белый	116	2	0,5	24
рис бурый	337	7,4	1.8	72
геркулес	350	10	2	64
макароны	335	10	1,3	68
мука пшенич.	324	10	1,1	65
мука ржан.	280	9,5	2,3	56
перловка	320	14	1	73
блины	350			
лапша	350			
горох	298	20	2	53
нут	364	19	6	61
грибы шамп.	27	4	1	1,5
орехи кедр	673	12	61	19
фундук	704	16	66	9
фисташки	556	20	50	7
сем.подсол.	578	20	53	3
арахис	551	26	45	9
грецкий орех.	654	15	66	7
чипсы банан	390	3,9	1,8	20
изюм	264	3	0,6	66
клюква суш.	308	0	1.4	76
чернослив	231	2	3	
курага	215	5	0,3	51
капуста брюс.	40	4,8	0,5	3,2
капуста цветн.	30	1,8	0,3	4

картофель	80	2	0,4	18
чипсы карт.	289			
кукуруза	123	4	2	12
морковь	32	1,3	0,1	7
маслины	166	22	10	5
огурец	15	0,8	0,1	2,8
помидор	20	0,6	0,1	1,6
редис	19	1,2	0,1	3,4
салат	25			
свекла отврн.	49	1,5	0	8
тушёная свекл.	106			
цукини	16	3	0,3	3
шпинат	22	3	0,3	3
фасоль бел.	103	6	0,5	17
красная	93	8	0	4
стручковая	24	2	0	4
чечевица	111	8	0	20
масло слив.	748		82	
масло подсол.	899		99	
масло авокадо	890		99	
масло виногр.	890		99	
масло кукуруз.	890		99	

молоко 1%	41	3,3	1	5
2%	59	2,8	2,5	4,3
4%	72	3,1	4	2,6
сметана	381	2,5	40	2,6
йогурт	105	3,8	3,2	15
кефир2%	56	2,8	3,2	4,7
творог 2%	101	18	1,8	3,3
тофу	73	8	4	0,6
белуга	88	17	2	0
горбуша отварн.	168			
лосось	142	19	6	0
семга отварн.	189			
мокрель	113	20	3	0
минтай	72			
навага	74			
лещ морской	105	21	6	0
лобстер	90	18	1	0,5

Прошло достаточное количество времени с тех пор как я провела программу снижения веса, переходную программу и перешла на рациональное питание. Мой вес колеблется между 147-149 фунтами (66-67 килограмм). Действительно приятно видеть себя стройной. Желаю и вам всем успеха в борьбе с врагом нашего времени — лишним весом.

Поделюсь с женщинами моими маленькими секретами, может вам пригодится.

1   Маски для лица со сметаной и турмариком (куркума). У большинства людей с возрастом кожа становится сухой и применение сметаны оправдано. Турмарик содержит много витаминов   (С,В 2 и 3,К), йод, фосфор.

2   Утром после умывания не вытирая лицо нанесите на него мягкими вдавливающими движениями пальцев капельку белого американ ского вазелина, предварительно растерев его хорошо с водой на пальцах. Затем в течение пары часов всё время смачивайте лицо водой. Можно после этого сделать раз в неделю паровую ван ночку для лица с заваренным зелёным чаем и чистотелом. При этом, не вытирая лицо, легкими вдавливаниями втереть испарину в кожу, через 30 минут вымыть водой без мыла, и промак-нуть бумажной салфеткой излишки вазелина. Вазелин хорошо удерживает воду на коже, притягивая её снаружи и изнутри. Дорогие кремы несут обычно единственную функцию – ув-лажняют кожу и обогащают их изобретателей. Вазелин и выполнит эту функцию и не опустошит кошелёк. Питательными являются кремы, содержащие геалуроновую кислоту, и весьма не дорогие. К этому крему надо добавлять ретиноловый крем. Эти 2 крема наносить на кожу можно на ночь.

3   Репейное масло использовать в масках

для волос. Смазать корни волос, укутать голову теплым платком и держать 3 - 4 часа, вымыть волосы, используя шампунь 2 раза. Другую неделю использовать отвар ромашки с кофе. Для этого 1 чайную ложку сухой травы ромашки прокипятить с 5 столовыми ложками воды и 1 ложкой кофе, настоять 30 минут, процедить через марлечку и нанести на уже вымытые, слегка подсушенные волосы. Не смывать, высушить волосы. Особенно хорошо для седых волос, они приобретают натуральный цвет и, вместе с тем, эти процедуры являются лечебными для волос и кожи головы.

Printed in Great Britain
by Amazon